Wat zit daar in dat vogelnest?

Selma Noort
Tekeningen van Joyce van Oorschot

Zwijsen

Brit baalt!

Het is nog vroeg.
De klok sloeg net zes uur.
Brit zit bij het raam.
Ze tuurt door een verrekijker.
Aan de overkant brandt geen licht.
Dus is Wilke nog niet wakker.
Wilke is Brits vriendin.
Brit staart strak naar haar raam.
'Word wakker!' denkt ze hard.
Maar Wilke hoort niets.
Brit wordt altijd om zes uur wakker.
Toen ze een baby was ook al.
Dat zegt pap altijd.
Op een dag zag Brit paps kijker liggen.
Ze nam hem mee naar haar kamer.
Zo ontdekte ze iets leuks.
Ze kan er mee in Wilkes kamer kijken.
Nou ja, als haar gordijn open is.
Dan doen ze gek naar elkaar.
Wilke liet zelfs haar nieuwe kleren zien!
En Wilkes vader wordt niet kwaad.
Wilke mag zijn kijker best lenen.

Brits deur vliegt open.
Daar staat pap met een rood hoofd.

‘Is het weer zover!’ bijt hij haar toe.
Hij rukt de kijker uit Brits handen.
Brit ziet bleek van schrik.
‘Sorry!’ stamelt ze.
‘Blijf er toch af!’ snauwt pap.
Pap holt de trap af en de deur uit.
Brit kijkt weer uit het raam.
Er wacht een groepje mensen.
Ze dragen stevige kleding.
En ze hebben malle hoedjes op.
Om elke nek hangt een kijker.
Dat is waar ook!
Op zaterdag gaan ze het land op.
Dan speuren ze naar vogels.
Elke twee weken spreken ze af.
Lekker vroeg, om zes uur.
Oeps, en pap moet mee!
Geen wonder dat hij zo kwaad was.
Hij was zijn kijker weer eens kwijt!

Wilkes gordijn is nog steeds dicht.
En dan weet Brit het weer.
Wilke logeert bij haar tante.
Het hele weekeinde!
Brit krijgt tranen in haar ogen.
Wat baalt ze hier van!
Ze voelt zich ineens erg alleen.

Ze laat zich op haar bed vallen.
Van woede stompt ze in haar kussen.
Nu heeft ze niemand om mee te spelen!

Sem

Brit zit op het hekje voor het tuinpad.
Ze zwaait heen en weer.
Piep! doet het hekje.
Mam tikt tegen het raam.
'Doe dat nou niet, Brit!' roept ze.
'Straks hangt het hek weer scheef!'
Brit springt van het hekje af.
'Straks hangt het hek scheef!' moppert ze.
Ze hoort iemand lachen.
Boos kijkt ze op.
Er valt niks te lachen!
Wilke is er niet.
Pap was boos.
En ze mag niet op het hek zitten!
Sem staat op de stoep voor de tuin.
Brit kent hem wel.
Vroeger speelden ze samen.
Toen was ze nog klein.
Toen zat ze in groep 2.
'Kijk voor je!' snauwt Brit.
Sem is niet onder de indruk.
'O, o!' zegt hij met een grijns.
'Ben je boos?
Pluk een roos!
Zet hem op je hoed.

Dan ben je morgen weer goed!'
Brit ziet iets aan Sem.
Het hangt aan een riempje om zijn nek.
Het glinstert in de zon.
Ze vergeet boos te zijn.
'Heb jij een verrekijker?' vraagt ze verbaasd.
Sem houdt hem omhoog.
'Mooi hè?' zegt hij trots.
Brit loopt naar hem toe.
Ze bekijkt de kijker eens goed.
Het is geen speelgoed.
Het is een echt goede.
'Zeker van je vader geleend,' zegt ze.
'Nee hoor.'
Sem schudt zijn hoofd.
'Voor mijn verjaardag gehad.'
Brit kijkt naar zijn gezicht.
'Echt?'
'Wie krijgt nou zoiets?'
'Ik,' zegt Sem.
Brit moet een beetje lachen.
'Had je dat gevraagd?'
'Ja,' zegt Sem.
'Ik wilde het heel graag.'
'Maar waarom dan?' vraagt Brit.
'Om naar je vriendje te kijken of zo?'
Nu kijkt Sem haar verbaasd aan.

‘Naar mijn vriendje kijken?’
Hij begrijpt er niks van.
‘Ik kijk zo naar Wilke,’ zegt Brit.
Ze wijst naar haar raam.
‘Als we vroeg wakker zijn,’ legt ze uit.
Sem begrijpt het nu.
‘O, bedoel je het zo.’
‘Nee, daar gebruik ik hem niet voor.
Ik doe net als mijn vader.
En net als jouw vader.’
Brit denkt even na.
‘Naar vogels kijken?’
Sem knikt.
‘Ging jouw vader vandaag ook mee?’
‘Ja, altijd,’ zegt Sem.
‘Wist je dat niet?
Hij is die lange, magere man.’
‘O die,’ zegt Brit.
‘Met dat stomme hoedje op!’

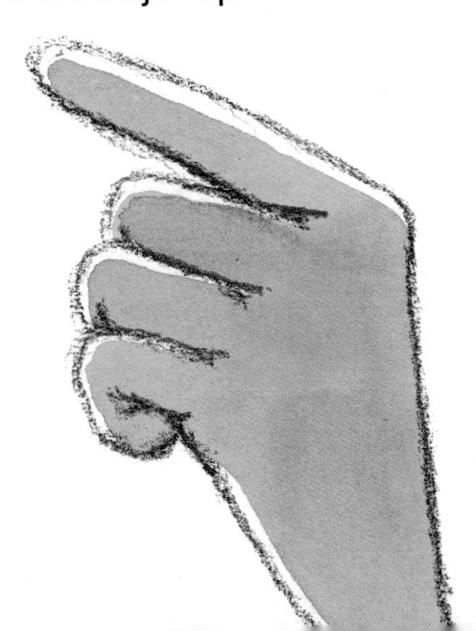

Sem schiet in de lach.
Brit moet ook erg lachen.
Ze worden er vuurrood van.
Lekker hoor.
Brit’s slechte humeur gaat er van weg.
‘Zo’n hoedje hoort erbij!’ zegt Sem.
‘Weet ik,’ giechelt Brit.
‘Jij vraagt er zeker ook een?
Als je weer jarig bent!’
Ze begint weer te lachen.
Sem ook.
‘Goed idee,’ zegt hij.
‘Dat doe ik zeker!’

Sems geheim

Brit en Sem zitten nu tegen het hek.
Dit stuk van het hek kan niet open.
Hier mogen ze wel tegen leunen.
Brit plukt een bloem.
Ze speelt er een beetje mee.
‘Is dat niet saai, naar vogels kijken?’
Sem schudt zijn hoofd.
‘Ik vind van niet.
Vogels zijn toch prachtig!’
Brit kijkt opzij.
‘Ja?’
‘Nou!’ zegt Sem.
Ze kunnen toch vliegen!’
‘O ja,’ geeft Brit toe.
Sem gaat staan.
‘Zal ik je eens iets laten zien?’
‘Wat dan?’
Brit springt al op.
‘Het is heel bijzonder.
Je ziet het bijna nooit.
Je mag het aan niemand zeggen.
Beloof me dat!
Het moet daar rustig blijven!
Je verpest het niet, hoor.
Anders kijk ik je nooit meer aan!’

5
6

Sem staart dreigend naar Brit.
'Ik beloof het!' zegt Brit gauw.
Sem is tevreden.
'Mijn vader weet het nog niet,' zegt hij.
'En jouw vader weet het ook nog niet.
Wacht maar tot ik het laat zien!'
Hij loopt langs het hek naar een bosje.
'Hier moeten we heen,' zegt hij.
Brit volgt Sem het bosje in.
Sem legt zijn vinger tegen zijn lippen.
'Sssst! We zijn er bijna.'

Brit tuurt door Sems kijker.
Ze ziet een nest in een hoge heg.
Het nest zit stevig tussen de stekels.
Brit houdt haar adem in.
Het nest lijkt heel dichtbij.
Dat komt door de verrekijker.
Er liggen vijf eitjes in het nest.
Sem fluistert heel zacht.
'Eén van deze eitjes hoort daar niet.
Er is een koekoek in dit nest geweest.
Weet je iets over de koekoek?'
Brit schudt haar hoofd.
'Een koekoek is heel apart,' zegt Sem.
'Ze broedt niet zelf.
Haar ei legt ze in een ander nest.

Het nestje van een mus of zo.
Ik wist dat hier een nest zat.
Ik keek er vaak naar.
En toen zag ik het.
Die koekoek kwam eraan.
Ze gooide een eitje uit dit nest.
Ze legde er zelf een ei in.
En toen vloog ze weg.’
Sem knikt naar Brit.
Brit denkt na.
Ze snapt het niet echt.
‘Waarom doet die koekoek dat?’ vraagt ze.
‘Kan ze zelf geen nest maken?’
Sem schudt zijn hoofd.

‘Een koekoek is te lui,’ zegt hij.
‘Of te slim.
Net hoe je het bekijkt.
Ze heeft zelf geen zin om te broeden.
Dus ze legt haar ei bij de mussen.
En die broeden het netjes uit.
En dan zorgen ze voor de kleine koekoek.’
‘Nou zeg,’ zegt Brit verbluft.
‘Maar dan geeft ze toch haar kind weg!’
Sem zucht.
‘Dat voelt een koekoek niet!’ zegt hij.
‘Zo is de natuur nu eenmaal!
Die koekoek kan het niet helpen.
Een dier is zoals het is.’

De kleine koekoek

Er zit een barst in een ei.
Sem zag het eerst.
Toen zag Brit het ook.
Ze kijken om de beurt.
Is dit het ei van de koekoek?
Of is het een ei van een mus?
Wat zal er uit komen?
Een musje of een kleine koekoek?
Brit is nog nooit zo stil geweest.
En nog nooit zo geduldig.

Om twaalf uur komen de vaders terug.
Ze praten over vogels.
Ze maken te veel lawaai, vindt Brit.
Ze schiet het bosje uit.
'Ssssst!'
Verbaasd kijken de vaders haar aan.
Nu komt Sem ook het bosje uit.
Hij wenkt.
De vaders kijken elkaar aan.
Ze halen hun schouders op.
Maar ze doen wel stil.
Brit pakt paps hand.
Ze trekt hem mee.
Hij hurkt achter haar.

Het wordt vol in het bosje.
Vier mensen vlak bij elkaar.
Maar het lukt net.
Ze buigen een paar takjes opzij.
Ze brengen hun kijkers voor hun ogen.
Brit kijkt door die van Sem.
‘Ja, kijk, ik zie zijn kopje!’
‘Ssssst!’ sissen de vaders.
‘Het is misschien een koekoeksjong!’ fluistert Sem trots.
‘Wat, echt!?’
De vaders turen door hun kijkers.
Zoiets willen ze wel eens zien.
Pap leent Brit zelfs zijn kijker!
‘Is het jong een koekoek of een mus?’
Brit kijkt vragend om naar papa.
‘Dat weet ik nog niet,’ zegt die.
‘Dat zien we gauw genoeg.’
‘Ja,’ zegt Sem.
‘Een gewoon musje doet niks.
Een koekoek gooit de eitjes uit het nest.’
‘Wat zeg je nou?’ vraagt Brit.
Ze gelooft haar oren niet.
‘Je maakt zeker een grapje?’
‘Nee,’ zegt Sem.
‘Zo gaat het echt.’
‘Maar die arme musjes dan?’ roept Brit.

‘Ssssst!’ sissen de anderen.
‘Zo gaat het nou eenmaal in de natuur!’

Brit vindt het maar niks!
Wat een stomme vogel, zo’n koekoek!
Ze geeft haar kind zomaar weg.
Dat kind houdt musjes voor de gek.
Ze gooit de eitjes uit het nest!
Brit zou het liefst de eitjes gaan redden.
Ze wil niet meer door de kijker kijken.
Sem en de vaders kijken wel.
Het jong is een kleine koekoek.
Dat blijkt al gauw.
Het gooit de andere eitjes uit het nest.
De mannen en Sem praten druk.
‘Zoiets zie je bijna nooit!’
‘Dit is heel mooi!’
‘Wat goed dat je dit zag, Sem!’
Brit knijpt haar ogen stijf dicht.
Ze houdt haar handen voor haar oren.
Ze wil de eitjes niet horen vallen.
En ze wil het zeker niet zien!
Ze vindt het zielig van die eitjes.
Maar ze hoort toch wat.
Sems vader zegt: ‘Daar gaan ze!’
En papa zegt: ‘Het is me wat!’
Pas als het voorbij is wil Brit kijken.

De kleine koekoek is kaal en lelijk.
Hij zit nu helemaal alleen in het nest.
Broers of zusjes krijgt hij niet.
Die heeft hij over de rand gekiept.
'Ik vind de natuur raar!' zegt Brit.

Een goede naam

Op zondag komt Sem Brit halen.
Ze gaan weer naar het nest kijken.
Brit mag zelfs de kijker van papa lenen.
‘Pak hem maar,’ zegt hij.
‘Maar vraag het eerst, zoals het hoort!’
Nu en dan komt hij zelf even kijken.
En de vader van Sem ook.
De jonge koekoek laat zich voeren.
De musjes vliegen druk heen en weer.
Hij houdt zijn snavel wijd open.
En de musjes stoppen er van alles in.
Muggen, larfjes, rupsjes.
Dingen die vogels lekker vinden.
Soms rilt Brit ervan.
Gelukkig is zij een mens.
Ze eet liever patat met appelmoes!

Na het eten horen ze iemand roepen.
Het is de stem van een meisje.
‘Brit, waar ben je?’
Brit kijkt op.
‘Dat is Wilke,’ zegt Sem.
‘Ze is terug!’ zegt Brit blij.
‘Nou ga je zeker weer met haar spelen.’
Sem kijkt boos naar de grond.

Brit krijgt een idee.
'Mag ik het tegen haar zeggen?
Dan kan ze met ons meedoen.'
Sem denkt even na.
Dan knikt hij.
'Maar ze mag het niet verder vertellen.
En ze moet zachtjes doen!'
Brit knikt dat goed is.
Ze kruipt het bosje uit.
Wilke ziet haar komen.
'Hoi Brit!' schreeuwt ze.
'Ssssst!' sist Brit.
'Schreeuw niet zo!'

Wilke gelooft het eerst ook niet.
'Hoe kan een baby nou zo gemeen doen?'
Ze kijkt Brit verbaasd aan.
'Hij is niet gemeen,' legt Brit uit.
'Hij weet niet beter.'
'Maar het is toch zielig,' zegt Wilke.
'Die arme musjes in die eitjes!'
'Dat vind ik ook,' geeft Brit toe.
'Maar de jonge koekoek kan er niks aan doen.
Hij wil in leven blijven.
En dan heeft hij al het voer nodig.
Daarom moet hij alleen in het nest zitten.'
'Hoe weet je dat?' vraagt Wilke.

'Van Sem,' zegt Brit.

Stil kijkt Wilke door de kijker.
'Wat een lelijk beest,' zegt ze eerlijk.
'Hij is nu nog kaal,' zegt Sem.
Wacht maar tot hij veren heeft.'
'Heeft hij een naam?' vraagt Wilke.
'Een wild dier heeft geen naam,' zegt Sem.
'Waarom niet?' vraagt Wilke.
'Ik weet juist een heel leuke.'
'Wat dan?' vraagt Brit.
'Koekje!' zegt Wilke.

Een veer van Koekje

Dagen gaan voorbij.
Koekje krijgt prachtige veren.
Hij groeit en groeit.
Hij wordt een mooie, gezonde vogel.
De musjes zorgen goed voor hem.
Op een dag krijgt hij vliegles.
Brit, Wilke en Sem kijken toe.
Ze zitten achter Brits raam.
Ieder heeft een eigen kijker.
Nou ja, die van hun vaders dan.
Alleen die van Sem is echt van hem.
Koekje leert al snel vliegen.
Hij is nu veel groter dan de musjes.
En toch blijven ze hem voeren.
Ze zijn heel goede ouders voor Koekje.
Dat vinden Brits vader en moeder ook.
Ze leven allemaal mee met Koekje.
Het was zielig voor de eitjes.
Maar ze willen toch dat het goed afloopt.
Koekje kan er immers niks aan doen.
Zo doet een koekoek nu eenmaal.

Het wordt zomer.
Brit, Sem en Wilke gaan naar het zwembad.
Ze kijken niet zo vaak meer naar Koekje.

Koekje woont niet meer bij de mussen.
Hij zorgt voor zichzelf.
De mussen hebben nieuwe eitjes gelegd.
Daar kwamen vijf musjes uit.
Ze piepen dat het een lieve lust is.
En de mussen vliegen af en aan.
Ze brengen muggen, rupsjes, luizen en spin-
nen.
En de kleine musjes vinden alles lekker.
Op een dag gaan de kinderen weer kijken.
Ze sluipen het bosje in.
En turen lang naar de kleine musjes.
'Wat zijn ze lief!' roept Wilke zacht.
'Moet je ze horen piepen!' fluistert Brit.
'Leuk hè?' zegt Sem.
'Hebben jullie Koekje trouwens nog gezien?'
'Nee, al een poos niet meer,' zegt Brit.
'Ik ook niet,' zegt Wilke.
'Hij is vast weg,' zegt Sem.
'Hij heeft de mussen niet meer nodig.
Hij is nu een grote jongen.'

Het is zaterdag heel vroeg.
Brit zit achter haar raam.
Ze kijkt door paps kijker.
Ze kijkt niet naar Wilkes raam.
Wilkes gordijn is toch nog dicht.

Ze kijkt in het nest van de mussen.
Dan gaat haar deur open.
'Heb jij mijn kijker, Brit?'
Pap komt haar kamertje in.
'Ik keek naar de musjes,' zegt Brit.
Ze geeft hem de kijker aan.
'Ik vind ze schattig.
Naar vogels kijken is leuk.
Eerst dacht ik dat het saai was!'
'Dat denken meer mensen,' zegt pap.
Soms moet je ook veel geduld hebben.
Maar dat heb ik wel.
En ik houd van de stilte.
Vogels kijken past wel bij mij.'
'En bij mij?' vraagt Brit.
Papa kijkt Brit plagend aan.
'Ik wist niet dat jij zoveel geduld had.'
Hij voelt in zijn zak.
'Kijk, een veer van Koekje.
Die vond ik in het bosje.'
Hij geeft de veer aan Brit.
'O, wat een mooie,' zegt Brit.
Ze kriebelt met de veer langs haar wang.

Brit blijft nog even kijken.
In de straat staan een paar mensen.
Ze hebben een mal hoedje op.

En om hun nek hangt een kijker.
Pap kijkt even omhoog.
Brit zwaait naar hem.
Dan duikt ze weer onder haar dekbed.
Straks gaat ze naar Wilke en Sem.
Dan gaan ze weer iets leuks doen.
Wat?
Dat weet ze nog niet.
Maar dat verzinnen ze nog wel!

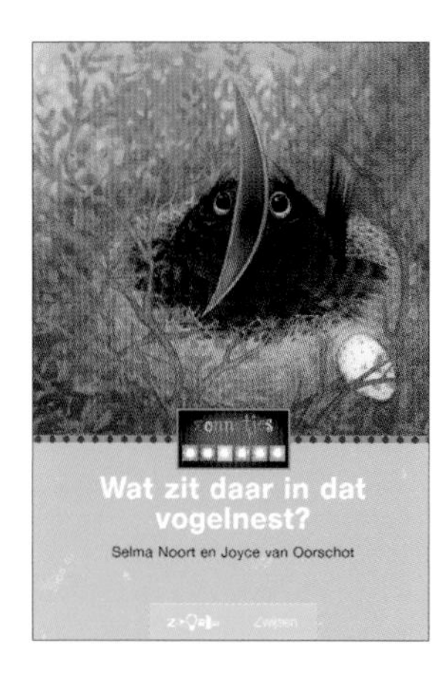

Zonnetjes bij kern 9 van Veilig leren lezen

1. Wat zit daar in dat vogelnest?
Selma Noort en Joyce van Oorschot

2. De grote verdwijntruc
Stef van Dijk en Pauline Oud

3. In de wolken
Ann Stolting en Anjo Mutsaars

ISBN 90.276.0160.7
NUR 287
1e druk 2006

Vormgeving: Rob Galema

Voor België:
Zwijsen-Infoboek, Meerhout
D/2006/1919/214